Cerddi Bois y Frenni

W. R. Evans

Argraffiad cyntaf—2000

ISBN 1 89502 899 3

Dymuna'r cyhoeddwyr gydnabod cymorth
Adrannau Cyngor Llyfrau Cymru.

Argraffwyd gan
Wasg Gomer, Llandysul, Ceredigion SA44 4QL

Cynnwys

Diolchiadau

Dymuna Bois y Frenni gydnabod eu diolch i'r canlynol am eu cefnogaeth wrth gyfeirio'r argraffiad hwn drwy'r Wasg:

—i Mrs W. R. Evans am ganiatâd i gyhoeddi'r cynnwys;

—i'r Prifardd Dic Jones am baratoi'r Rhagair a'r Cyflwyniad;

—i gyn-aelodau Bois y Frenni, Dai Lewis, Glan Thomas a Douglas Thomas, am eu cymorth wrth gasglu'r deunydd;

—i Llŷr John am y llun ar y clawr, a phawb a gyfrannodd at yr argraffiad mewn unrhyw fodd.

—i Gyngor Llyfrau Cymru am nawdd ac i Wasg Gomer am eu gofal arferol wrth ddwyn y gyfrol i law'r cyhoedd.

Rhagair

Y cof cynta sydd gen i am Fois y Frenni yw eistedd ar silff ffenest yn ysgoldy Blaen-porth mewn cyngerdd/noson lawen/rifiw tua chanol y rhyfel. Un o'r ychydig fendithion a ddaeth o'r gyflafan honno. Y lle dan ei sang a'r welydd yn chwysu a chymylau o lwch yn codi o'r llawr styllod wrth i Sam Post, Ianto Shop ac Enos Bach a'r lleill fynd drwy'u pethe.

Flynyddoedd yn ddiweddarach W. R. Evans, 'mishtir' ysgol Bwlch-y-groes, arweinydd y parti ac awdur a sgriptiwr eu holl ddeunydd oedd y beirniad pan ges i fy ngwobr gyntaf erioed am englyn. O ran hynny, ef hefyd oedd arweinydd y côr meibion cyntaf erioed i mi'i glywed yn canu Trydedd Salm ar Hugain Schubert. Gŵr amryddawn 'nid whare' ys dywedan nhw'n Shir Benfro. A buan iawn y daeth yr holl wlad i wybod am y cwmni afieithus o gyffiniau'r Frenni Fawr a fu'n difyrru cynulleidfaoedd am flynyddoedd.

Trigain mlynedd, i fod yn fanwl. Felly mae ganddo bump i fynd eto cyn dechrau meddwl am riteirio! Neu efallai y dylem ei chyfri'n briodas ddiemwnt arnyn nhw. Gwaetha'r modd, dim ond un o'r parti gwreiddiol hwnnw sydd 'yma o hyd'—Dai Crymych. A Fanw wrth gwrs, gweddw W.R. Ac er na ddeallais iddi hi fod yn aelod o'r parti fel y cyfryw, yr adeg honno yr oedd gwraig y mishtir yn ffigwr cyn bwysiced yn y gymdeithas ag oedd ef ei hun.

Ac i ddathlu cyrraedd y drigeinfed garreg filltir hon penderfynwyd cyhoeddi detholiad o ganeuon allan o *Hwyl a Sbri* a *Pennill a Thonc*, ynghyd â rhai allan o *Twll o Le*, nas cyhoeddwyd hyd yn hyn. Cyfrol a fydd yn deyrnged i goffadwriaeth W.R. ar yr un pryd â bod yn werthfawrogiad o weithgarwch Myfanwy yn y cysgodion.

Yn neuadd bentre Boncath, 'nôl ym 1940, y bu'r perfformiad cyhoeddus cyntaf, ac mae neuadd newydd wedi'i chodi yno'n ddiweddar, a'r bwriad yw cael y Bois yn ôl i agor honno'n swyddogol ar eu pen-blwydd.

Bu llawer tro ar fyd ers y dyddiau cynnar hynny, a 'bugeiliaid newydd sydd' o gylch y Frenni fel ym mhobman, ond mae'n dda gweld bod yna ddegwm gweddill yn glynu wrth weledigaeth W.R. ei bod yn rhaid cyflwyno deunydd ysgafn, poblogaidd yn y Gymraeg os yw i oroesi.

Dic Jones, Medi 2000

Gair o Gyflwyniad

Mab Dan-garn, Mynachlog-ddu, oedd W. R. Evans, a'i dad, Ben Evans yntau yn 'fardd gwlad a rhigymwr bro' ys dywed Gwenallt. Yn wir, yn gynnar yn y ganrif cyhoeddodd Gwasg Gomer (J. D. Lewis a'i Feibion y pryd hwnnw) gyfrol fechan o gerddi'r tad—*Cerddi'r Cerwyn*. Ac awgrymir oddi wrth gerdd o dan y teitl 'Efail y Gof' yn honno mai gof oedd ei dad yntau.

Gwaetha'r modd, bu farw mam W.R. ac yntau'n ifanc iawn, ac fe'i magwyd gan ei dad-cu a'i fam-gu yng Nglynseithmaen. O hynny ymlaen Wil Glynseithmaen ydoedd i bawb. Yng nghyflawnder yr amser, ac yntau wedi bod drwy ysgol a choleg a gwasanaethu yn y Llu Awyr adeg y rhyfel, dychwelodd i fod eto'n brifathro Ysgol Bwlch-y-groes. Ac yn naturiol fe'i hailfedyddiwyd yn Wil Bwlch-y-grwês. Roedd ei gyfathrach gynnar â Waldo a Llwyd wedi hogi ei awen, a'r tri ohonynt yn eu gwahanol ffyrdd i dyfu'n ffigyrau amlwg ym myd llên Cymru yn y dyfodol.

Clywais W.R. yn dweud fwy nag unwaith iddo sylweddoli yn ystod ei amser yn y Llu Awyr y byddai angen yn y blynyddoedd i ddod am ddeunydd adloniant i nerthu bywyd Cymreig ardaloedd

'Bois y Frenni' 1940-1941.

tebyg i Fwlch-y-groes, ac iddo fras gynllunio llawer o sgetsys a chaneuon Bois y Frenni yn y gwahanol wersylloedd y bu ynddynt; yr oedd ei hoffter o hwyl a'i ffraethineb cynhenid yn gyfrwng perffaith i weithgaredd o'r fath.

Yn naturiol ddigon, ysgoldy Bwlch-y-groes fyddai'r man cyfarfod, ac arferai'r criw ddod ynghyd (wedi'u gwahodd gan W.R. ar gyfrif eu dawn gerddorol a'u gallu ar lwyfan), yn ffermwyr a siopwyr, gweithwyr cyngor a phob galwedigaeth arall mewn cymdeithas wledig o'r fath. Byddai W.R. yn troi'r bwrdd du lle byddai gwersi'r plant y diwrnod hwnnw wedi'u sialcio, ac ar ei gefn byddai'r gân ddiweddaraf wedi'i sgrifennu. Côr trillais wedyn yn mynd ati i'w rhoi ar gof ac ymhen tipyn yn ychwanegu'r symudiadau llwyfan ac ychydig o sgript ac yn y blaen.

Digon elfennol oedd y rheiny ar y cychwyn, mae'n siŵr. Achos prin y byddai mewn neuaddau ysgolion a festrïoedd lawer o gyfarpar llwyfannu. Y 'set' arferol fyddai i'r parti ddod i'r llwyfan a smalio'u bod yn dwr o ffrindiau yn pwyso ar glawdd yr hewl, ac wrth gwrs byddai'r ad-libio'n fynych cystal â'r sgript ei hunan. Ar un llwyfan arbennig o fregus aeth troed Dai Lewis i lawr rhwng dwy styllen ac i roi esgus i'r dyrfa gael chwerthin dyma Sam Post yn gweiddi, 'Gan bwyll, bois, ma' cwês Dai yn sownd mewn twll gwningen!'

Roedd yr ardaloedd yn aeddfed am adloniant o'r fath, a gwasgfeydd blynyddoedd olaf y rhyfel a'r adeg yn union wedi hynny yn dir ffrwythlon i ffyniant y Bois. Digon prin ar y pryd oedd setiau radio mewn ardaloedd gwledig ac o ganlyniad daethai eu caneuon lawn mor boblogaidd â chantorion pop oes ddiweddarach. Yn wir, mae nifer ohonynt erbyn heddiw lawn mor wybyddus â chân y 'Mochyn Du' a'r 'Sgwarnog Fach' a'u tebyg.

Cyhoeddwyd eisoes ddwy gyfrol o'r caneuon—*Pennill a Thonc* a *Hwyl a Sbri*, a gwerthodd y gyfrol gyntaf bum argraffiad mewn tair blynedd. Hyd heddiw, bydd rhai o hynafgwyr eu cynulleidfaoedd â'r hen gopïau hynny yn eu dwylo yn dilyn pob gair o eitemau'r côr. Maent yn rhan o gynhysgaeth faledol a chanu gwerin rhannau helaeth o Dde Ceredigion a Gogledd Penfro. Ac aeth ambell barti enwog o'r saith- a'r wyth-degau cyn belled â recordio ambell gân fel 'Anti Henrietta o Chicago'.

Y.M.C.A., BONCATH.

• *PENNILL A THONC* •

Noson Lawen ynghanol y Blac-owt

GAN

BOIS Y FRENNI

(Cwmni Bwlchygroes)

Nos Fercher, Tachwedd 6ed, 1940.

Cadeirydd : Mrs J. DAVIES, C.D., Brynderw.

Drysau yn agored am 7, i ddechrau am 7.30.
Yr elw at y Neuadd Y.M.C.A. a Chymdeithas y Groes Goch.

Tocyn - - 1s. 6c.

Prin, yn nyddiau cynnar y parti, a'r gymdeithas Gymraeg yn gymaint cryfach nag yw heddiw, bod angen hysbysebu o gwbwl. Roedd sôn o ben i ben yn ddigon, ac am wn i mai hwnnw yw'r hysbýs gorau un. Wedi'r perfformiad cyntaf hwnnw ym Moncath aethai'r sôn amdano fel tân drwy'r broydd, gyda'r canlyniad bod Neuadd Crymych ymhen llai na mis yn orlawn. A'r sgwâr oddi allan hefyd, o ran hynny. Felly bu'n rhaid cael perfformiad arall nos drannoeth. A'r noson wedyn.

Roedd yn anochel bron, gyda pharti mor afieithus, a'u harweinydd mor barod am hwyl â'r un ohonynt—yn wir ef fyddai sbardun y cyfan fynychaf—o dan amodau unigryw'r cyfnod, i droeon trwstan ddigwydd yn fynych. Bysiau'n bethau cymharol brin, a'r petrol i'w gyrru'n brinnach fyth, dogni ar fwyd a dillad, y blac owt ac yn y blaen. Ac nid unwaith na dwy yr aeth y cwmni cyfan ar goll hyd ffyrdd gwledig culion Sir Benfro. A mannau cryn dipyn ymhellach i ffwrdd o ran hynny. Ac nid yw'n anodd dychmygu picil criw o wladwyr ansoffistigedig yn trio ymdopi â phrysurdeb strydoedd Llundain. Neu hyd yn oed y trafferthion tafodieithol pan fentrid yr ochr uchaf i Fachynlleth! Ond fel Sam Jones a'i Noson Lawen, gwnaeth Bois y Frenni'u rhan i ddwyn pedwar ban y wlad yn nes at ei gilydd.

'Bois y Frenni' 1941-1942.

Yna, a'r parti wedi cael ei draed tano fel petai, ar wahanol lwyfannau, i fod yn fanwl bump ar hugain ohonynt, cafodd ysgytiad 'nid whare' pan alwyd W.R. i'r Lluoedd Arfog. A bron ar unwaith, wedi cyfnod byr o hyfforddiant yn Blackpool, fe'i hanfonwyd i Takoradi ar y Traeth Aur (y pryd hwnnw) yn Affrig, ac ni byddai'n syn o gwbwl petai hynny wedi bod yn ergyd farwol i Fois y Frenni.

Ond gan fod ganddynt erbyn hynny restr lled faith o 'gyhoeddiadau' ar y llyfr penderfynodd y parti rhyngddynt a'i gilydd gario 'mlaen. Ac efallai mai'r deyrnged uchaf oll y gellid ei thalu i W.R. yw'r ffaith iddo drwytho'r bechgyn mor drylwyr yn ei athroniaeth ef ei hun o greu difyrrwch cyd-ddibynnol fel eu bod wedi medru gwneud hynny.

O'r cychwyn cyntaf ni fyddai i'r noson arweinydd cydnabyddedig yn null y Noson Lawen fodern. Byddai pawb yn ei dro (neu allan o dro cyn amled â hynny) yn cynnig rhyw sylw a fyddai'n lincio un gân at y llall ac yn y blaen. A hynny'n rhoi cyfle i sefyllfaoedd godi nad oeddent wedi'u rihyrsio o gwbwl. Y cyfan yn hwyl aruthrol i'r parti wrth gwrs, ac o ganlyniad i'r gynulleidfa hefyd.

Mewn un neuadd arbennig, a'r parti wrth gefn y llwyfan yn barod i ymddangos, fe'i cyflwynwyd gan rywun a gyhoeddodd 'ffor owr Inglish ffrens' ei fod yn deall y byddai rhan helaeth o'r gweithgareddau yn Saesneg. A'r Bois yn llygadu'i gilydd mewn syndod! Ac aethpwyd ati'n fyrfyfyr i gyfieithu cymaint o idiomau ac ymadroddion ag y gellid meddwl amdanynt. Buont yn 'laughing on top of his head' drwy'r nos! A'r dyrfa gyda hwy.

Felly bu cyfnod absenoldeb W.R. yn y Llu Awyr ymhell o fod yn ddiffrwyth. Byddai'n defnyddio'i amser hamdden yn creu defnydd newydd i'r parti. Caneuon, syniadau am sgetsys ac yn y blaen, a'u gyrru adref i'w defnyddio yn y 'cyhoeddiad' nesaf. Yno yr eginodd y syniad am fath o rifiw newydd—*Twll o Le*—ac erbyn iddo gael ei ryddhau o'r lifrai roedd y sioe honno bron yn gyflawn ganddo.

Erbyn hynny hefyd yr oedd nifer o'r rhai a fu'n ddisgyblion ysgol iddo ym Mwlch-y-groes, fel Glan Thomas a Dyfed, wedi tyfu'n llanciau dawnus, a'u doniau wedi'u meithrin wrth draed y 'mishtir'. Mae'n rhaid mai profiad unigryw oedd newid yn sydyn o fod o dan awdurdod prifathro i fod yn aelod o barti'r un person lle'r oedd pawb yn gwbl gyfartal ac mor werthfawr â'i gilydd. Ond Wil oedd Wil erioed.

Ar un adeg roedd Cecil Jenkins, aelod allweddol o'r Bois erbyn hynny, yntau wedi'i alw i'r Lluoedd Arfog ac wedi'i wersyllu rywle yng nghyffiniau Nottingham, a noson gan y Bois wedi'i threfnu ar gyfer y penwythnos. Sut oedd sicrhau rhyddhad y tenor i'r 'cyhoeddiad'? Eithr erbyn hynny roedd W.R. yn gyfarwydd â dirgel ffyrdd Lluoedd ei Mawrhydi. Gair bach o sebon yng nghlust yr Adjutant a thipyn o stwffio gwellt, fwy na thebyg, yn ogystal â phwysleisio pwysigrwydd y gyngerdd i'r 'morale' cenedlaethol ac yn y blaen ac *ipso facto* roedd Cecil yn ei gap stabal a'i drowser rip yn ei morio hi gyda'r lleill pan gododd y llenni!

Felly'r aeth y Bois yn eu blaen am rai blynyddoedd. Ond yr oedd bywyd yng Ngogledd Penfro'n newid, fel ym mhobman arall. Roedd y teledu ac atyniadau eraill yn prysur ennill eu lle, a phoblogrwydd y deunydd cartre'n cael ei fesur wrth y safonau newydd. Codwyd ysgol ganolog newydd yng Nghrymych, ac yn ddiamau bu ei fethiant i sicrhau prifathrawiaeth honno yn siom i W.R. Derbyniodd swydd prifathro mewn ysgol yn y Barri cyn symud ymlaen i ddarlithio yn y coleg yno a phan symudodd ef a'i deulu i ffwrdd, ynghyd â'r ffaith i lawer o'r aelodau cynnar gilio'n raddol oherwydd henaint ac yn y blaen, treio o dipyn i beth a wnaeth y Bois.

Cynhaliwyd cwrdd ymadawol i'r 'mishtir' yn yr hen ysgoldy lle cyflawnodd gymaint o'i orchestion, ac i'r dyrfa enfawr a ddaeth ynghyd un o brofiadau mawr eu bywyd oedd clywed Waldo'n adrodd ei gywydd enwog 'Dwg i Forgannwg y Gerdd' oddi ar ei gof. Cerddai yn ôl a blaen hyd y llwyfan a'i ddwylo yn ei bocedi gan aros yn awr ac yn y man i syllu allan drwy'r ffenest yn rhyw fath o synfyfyrio ar goedd, fel petai neb ond ef a W.R yno. Erbyn iddo gyrraedd 'Wil wyt ti. Wele tawaf' prin fod yno lygad sych yn y lle. Dagrau o lawenydd a syndod o fod yn dystiol i athrylith un na welodd Sir Benfro mo'i debyg, a dagrau o hiraeth am golli un a fu'n gymaint o enaid hoff cytûn i'r athrylith hwnnw ac yn arwr i gymdogaethau cyfain.

A serch i Waldo fwrw'i hud dros y noson honno i gymaint graddau fel mai prin fod cof am ddim arall erbyn heddiw, cafwyd cyfraniadau unigryw gan eraill o gyd-aelodau W.R. yn nhîm Penfro yn *Ymryson y Beirdd* yn ogystal, a neb yn fwy nag Idwal Lloyd:

'Bois y Frenni' 1950au.

Dyfedeg fu'i dafodiaith
Synnai'r Ŵyl, â swyn yr iaith
Y rhiniodd ei gyfraniad
A llenwi'i le'n llên ei wlad.

neu y W.R. arall—Nicholas:

Byw ei lais oedd W.R.
A'i gymell yn ddigymar.
Ni fu awen amgenach
O'r Frenni Fawr na'r un fach.

Ond yn groes i'r darogan, ys dywedodd rhywun, roedd y suon bod Bois y Frenni wedi marw yn 'greatly exaggerated', a phan glywyd sôn bod yr Eisteddfod Genedlaethol i ddod eto i Benfro ym 1974, ail-gynheuwyd y fflam. Roedd W.R. erbyn hynny wedi dychwelyd i Hwlffordd yn H.M.I. a chynlluniodd a chynhyrchu *Cilwch Rhag Olwen*, gyda Rhys Jones yn gyfrifol am y gerddoriaeth a nifer o aelodau Bois y Frenni yn y cast. Yr oedd yn ôl yn ei hoff faes unwaith yn rhagor.

Felly ni ellir dweud i Fois y Frenni erioed gilio'n llwyr, achos wedi i W.R. ymddeol i'r Tymbl ac i'r Eisteddfod ddod unwaith eto i Benfro ym 1986, lle buont yn perfformio dan hyfforddiant Dai

'Bois y Frenni' 1986.

Lewis, o dipyn i beth ailgychwynnwyd ar y nosweithiau llawen. A phan orfododd ei ddiffyg golygon Dai i roi i fyny daeth Dewi Adams i'r adwy. Wedi'i farw annhymig ef parhaodd y parti yn yr egwyddor a blannodd W.R. ynddynt o'r cychwyn—sef bod safonau perfformio i fod i godi o ymroddiad a doniau'r parti'i hunan, yn hytrach na dibynnu ar arweiniad unrhyw un person.

Ac er mai *Bois* y Frenni fu'u henw o'r cychwyn cyntaf mae'n sicr nad oedd dim byd yn fwriadol siofinistaidd yn hynny. Yn wir, siawns bod y gair yng ngeiriadur W.R. Y gyfeilyddes gyntaf oedd Pati Cole Jones, ac mae sôn bod ei chwaer, May, oedd yn gantores amlwg iawn yn ei dydd, wedi cymryd ei pherswadio i rannu llwyfan â'r Bois ryw unwaith neu ddwy. Ond wedi hynny ni fu merch ar yr un llwyfan â hwy—merch go iawn hynny yw!

Ond gwn mai hwy fyddai'r cyntaf i addef na fuasai'n agos y graen wedi bod ar eu canu oni bai am waith diflino nifer o ferched wrth y piano dros y blynyddoedd. Margaret Rowlands (Rhys erbyn hyn), Kathleen Sambrook (Davies), Wendy Lewis a Tonwen Adams. Plant i rai o'r aelodau sylfaenol, rai ohonynt, ac eraill yn chwiorydd neu'n wragedd yn cadw'r olyniaeth i fynd.

Rai blynyddoedd yn ôl sefydlwyd cornel goffa i W.R. yn llyfrgell Ysgol y Preseli, llyfrgell sydd hefyd yn cynnwys cwpwrdd o weithiau T. E. Nicholas—un arall o gewri'r broydd hyn. Ac ategwyd safle sylfaenydd Bois y Frenni fel un o fawrion Cymru pan godwyd maen coffa iddo yn ardal ei galon ym Mynachlog-ddu, nid nepell o'r fan lle saif colofn i athrylith arall—ei gyfaill Waldo.

Adeg codi Cofeb W.R. ym 1996.

'Bois y Frenni' 2000.

Bois y Frenni

Pwy sydd yma ger eich bron?
Bois y Frenni, gwmni llon.
Pwy sydd yma i roi cân?
Bois y grug a'r adar mân.

Cytgan:
Bois bach o Lanfyrnach ac o bentre bach Glandŵr,
Bois o bentre Crymych ac o Degryn, bid siŵr.
Rhai yn denau, rhai yn dew, a rhai yn stiff fel pren,
Rhai yn ifanc, rhai yn hen heb flewyn ar eu pen.
Rhai o blwy Llanglydwen ac o ardal Bwlchygroes,
Dyma gwmni difyr, dyma REIAL FOIS!
Chwarddwch Ha ha ha ha
Chwarddwch He he he he
Chwarddwch Ho ho ho ho
Chwarddwch Hi hi hi hi
Chwarddwch gyda'r cwmni llon, well chwarddwch yma'n awr
Chwarddwch nes bo'ch stumog chi yn jwmpo lan a lawr
Chwarddwch gyda BOIS Y FRENNI FAWR.

Pwy sy'n lladd y frech a'r gowt?
Bois y Frenni, ie 'sdim dowt.
Pwy sydd yma i roddi cân?
Bois y grug a'r adar mân.

Cytgan

Y Pecinîs

Dewch nawr gyfeillion heb un sŵn,
Awn at y neuadd i'r sioe gŵn,
Spaniel a milgi yn un swanc
A'r St. Bernard fel y banc.
Pwy yw'r un bach mewn fest a chrys?
Neb ond yr annwyl becinîs.

Cytgan:
Dewch gyfeillion, dewch ar frys,
Dewch nawr i weld y pecinîs.
Dacw'r un bach yn ei fest a'i grys
Acw yn begian 'if you please'.
(Cyfarth . . . am ddau far)
Na, na, ni chafodd Solomon na Socrates
Ddoethineb anfarwol y pecinîs.

Gwelwch y ffyrnig gi Chow Chow
Acw yn cyfarth bow-wow-wow.
Gwelwch yr enwog Labrador
O'r oer barthau hwnt i'r môr.
Pwy yw'r un bach mewn fest a chrys?
Neb ond yr annwyl becinîs.

Gwelwch y Scottie a'r Blue Roan,
Daniel y Spaniel mawr ei sôn,
Gwelwch y Collie a'i drwyn hir,
A'r corgi melyn o'r hen Shir.
Pwy yw'r un bach mewn fest a chrys?
Neb ond yr annwyl becinîs.

Gwelwch ei goler destlus pinc,
Gwelwch ei lygaid bach fel Chinc.
Gwelwch y twtsi yng nghôl ei ddat
Gwelwch ei drwyn boneddig fflat.
Pwy yw'r un bach mewn fest a chrys?
Neb ond yr annwyl becinîs.

Y Lecsiwn

Myfi ydyw'r dyn, un digon di-lun, sy'n ceisio sefyllfa o fri.
Waeth beth fo am hynny, yr wy'n penderfynu ymgeisio am job fel M.P.
Rwyf braidd yn ddibrofiad i sefyll etholiad ac eistedd yn Senedd fy ngwlad,
Ond mae digon o arian gan Thomas y Marian sy'n gefnder i Wncwl fy Nhad.

Cytgan:
O, diwrnod y lecsiwn, diwrnod mawr yw hwn.
O, helynt y lecsiwn, Tra la la la la la la la la;
Troi a throi yn fy ngwely bach a methu cysgu'n deg,
Ochain a chwysu a 'mhen bron â drysu a hen flas cas yn fy ngheg,
Pilsen am un, tonic am ddau, mwgyn am chwarter i dri,
Hen hobi bryderus a digon dansheris yw treio mynd miwn yn M.P.

Hen beth digon gwirion yw dringo bocs sebon a thraethu yn las ac yn goch,
Ac addo i'r ffarmwr yng nghanol y mwstwr y caiff e well pris am y moch.
Rhaid addo yn deidi y rhown ni sybseidi am riwbob a myshrwms a phys,
A gostwng y prishe, wel hynny sydd ishe, ar drowser a sane a chrys.

Rhaid codi tai newydd sy'n ffit i ddal tywydd, a hynny yn wir ar un waith.
Ple bynnag y gweli ryw wyth yn 'run gwely rhaid gostwng y nifer i saith.
Ac os yw wal gardbord yn edrych yn hynod a thebyg yn wir i focs hat
Mae'n hawdd iawn i'w symud (rhyw job fach pum munud) i'r mynydd neu lawr ar y fflat.

Rhaid addo i Gymru, hen wlad uwd a llymru, rhyw damaid bach temtin a neis,
Nid rhyw Ysgrifennydd na Senedd ysblennydd ond bobo bownd ecstra o reis.
Er mwyn plesio'r bobol o Fôn i Ffostrasol sy'n gweiddi yn groch am eu hawl,
Rwy'n addo o gariad, hyd ddydd yr Etholiad, y galwaf Porthcall yn Borthcawl.

Yn wir os gwnewch ymgais i roddi eich pleidlais i Fi ac i Fi ac i Fi,
Dywedaf yn fwynedd na chewch am bum mlynedd eich poeni o gwbwl gen i.
Rwy'n addo o galon na fydd un ymryson i ddwyn arnoch amharch a sen,
Ond lan yn Westminster ar garped Axminster eisteddaf heb agor fy mhen.

Trâth y Mwnt

Fe ddaeth y cynhaeaf gwair i ben yn gynnar yn yr haf,
A mynd i lan y môr wnes i ar ddiwrnod tesog braf.
Ro'n i'n teimlo ers rhyw flwyddyn nawr fo 'nhrad i braidd yn frwnt,
A bant â fi 'da'r crowd rhyw ddydd i'w golchi ar drâth y Mwnt.

O dyna ddiwrnod, diwrnod mawr oedd hwn.
O dyna olygfa, tra la la la la la la la la la la,
Rhai yn byrcs a choese main fel coese robin goch,
Rhai yn dew aflan yn conan a thuchan fel torred fawr o foch.
Rhai yn hen-ffasiwn a di-demtasiwn yn gwlychu a sychu'n eu tro,
A Winnie'n dod fyny mewn bicini pum gini nes i bawb ddweud ho ho ho.

Wedd Leisa a Marged yn cario eu basged gan hwthu ar ganol y trâth,
Rhyw gaws wedi grato ac ugen tomato, a pheder poteled o lath.
Roedd Eser yn glefer yn cario tiwb teier a phwsh-*chair* a dou gari cot,
A Gillian a Lilian ac Eilian yn trotian gan gario ei spêd swllt a grot.

Roedd rhai'n llenwi bwced a rhai'n chware criced—pob un â rhyw ddull
o *keep fit*,
A babi Viola yn fflat ar ei fola yn gorfod cael *change of kit*.
Roedd merch Mari Elen Rhydfelen yn llefen a sgrechen yn las ac yn biws,
Yn cico, stwbwrno, a phallu'n deg sugno am fod sand yn yr *orange juice*.

Fan draw dan y creige fe welech chi beile yn treio câl tamed o fwyd,
A Dai'n anniogel wedi stripo yn jogel yn tshaso rhyw gleren lwyd.
Wedd clamp o bicwnen miwn draw yn y bwnen ar waethaf y llien bach
stansh,
Ac yna daeth cacwn i gerdded y bacwn pan odd Tomos yn mynd i roi hansh.

Eiliad Fach o Weddi

Er dued ydyw'r cymylau uwch ein pen,
Daeth eto y Nadolig i'r fro.
Bu sôn a siarad am engyl yn y nen,
A daeth baban Mair yn fyw i'r co.
Ond cofiwn hefyd am rywrai sydd yn drist,
Heb ddillad, heb damaid, heb do,
Yn llwm a noeth ar ŵyl geni Iesu Grist.
Rhaid eu cofio hwythau oll yn eu tro.

Cytgan:
Eiliad fach o weddi cyn codi wrth y bwrdd,
Ar i Dduw ofalu am rywrai sydd yn drist,
Yma'n agos neu ymhell, bell i fwrdd.

Wrth gofio am y bugeiliaid ar y rhos
A'r geni mewn preseb bach llwm.
Gweddiwn hefyd am seren yn y nos
I'r trueiniaid sydd â'u baich yn drwm.
Awn gyda hwynt ar eu taith o ing a loes
O Fethlem i Galfaria bell,
A rhown ein hysgwydd yn dynn o dan eu croes
Nes daw eto wawr y bore gwell.

Wês Wês

A wês prinder marjarîn?
A wês prinder nicotîn?
A wês prinder mowr o jam?
A wês prinder nawr o ham?

Wês, wês, wês, wês.

A wês sôn am dynnu glo?
A wês torri records 'to?
A wês talu incwm tacs?
A wês cwpons nawr am slacs?

Wês, wês, wês, wês.

Wedd hi'n bwrw bore dwê?
Wedd hi wir 'te, we, we, we,
Wedd hi Martha'n glwchu twes?
Wedd hi'n wêr ym Mhenygwres.

Wês, wês, wês, wês.

Wedd 'na dyrfa yn y Rits?
Wedd 'na wherthin mowr mewn ffits,
Wedd 'na giw mowr 'nôl i'r gwt?
Wedd 'na show wrth fodd y crwt?

Wês, wês, wês, wês.

Etifedd Bach Joseff a Mair

Doethion o'r Dwyrain yn gwmni bach cywrain
A deithiodd i Fethlehem gynt,
Gan ddwyn eu anrhegion a phob rhyw ddanteithion
Yn gwbwl ddibryder eu hynt;
Doethion o'r Dwyrain yn gwmni bach cywrain
Yn teithio i Fethlehem gynt.

Hwy welsant y seren oedd yn y ffurfafen
A'i dygai at breseb o wair;
A mawr oedd y moli wrth droi i addoli
Etifedd bach Joseff a Mair;
Uchel frenhinoedd yn plygu yn rhengoedd
Wrth breseb bach Joseff a Mair.

O na ddôi tyrfa o feysydd Korea
O'r India a thraethau yr aur,
I ddilyn y seren sydd yn y ffurfafen
At Fethlem a phreseb o wair;
Yno i foli ac isel addoli
Etifedd bach Joseff a Mair.

Ewch â fi Adre at Leisa

Nid wyf am gael perlau nac arian,
Nac unrhyw ddyrchafiad mewn byd.
Dim ond un peth bach syml rwy'n fegian,
Dim ond un ffafar fach dyna i gyd.

Cytgan:
O, ewch â fi adre at Leisa
A rhowch fi ar aelwyd fach glyd.
Dim ond mynd â fi adre at Leisa,
At Leisa fy ngwraig, dyna i gyd.

Cael siôl ar fy ngwar wrth y pentan,
A slipers yn dwym am fy nhroed,
A'r hen foiler cawl yno'n ffrwtian,
A'r tân yn arogli o goed.

Os digwydd imi farw fan yma,
Os digwydd rhyw anffawd i mi,
O ewch â 'ngweddillion i Leisa,
I Leisa sy 'mhell dros y lli.

O, rhowch fi i orffwys yn dawel,
Ger bwthyn fy eilun a'm plant,
Lle clywaf ei llais ar yr awel,
A'i nwyf ym murmuron y nant.

Pentigili

Mi awn pentigili i Benfro,
Mi awn i pe cawn i bob cam,
Mi awn pentigili i Benfro
At fwthyn gwyngalchog fy mam.

Cytgan:
Awn, awn, awn pe cawn,
Mi awn pentigili sha thre,
Awn, awn, awn pe cawn,
Mi awn pentigili sha thre.

Ehedwn, pe cawn i adanedd,
Ehedwn dros donnau y môr,
Ehedwn, pe cawn i adanedd,
I'r bwth lle mae croeso yn stôr.

Bodlonwn ar fyw heb fananas
Pe cawn i fynd adref yn ôl,
Bodlonwn ar dato a phanas
A magu'r gath fach yn fy nghôl.

Y Ffair

Mi es am dro ryw nos i'r ffair,
    Upidee, Upidah.
A dyna le, ie ar fy ngair,
    Upidee, Upidah.
Fe droes fy wyneb braidd yn goch,
Wrth fethu'n deg â chanu'r gloch.

Mi welais groten hawddgar, ddel,
    Upidee, Upidah.
Ond anodd torri'r garw, chwel,
    Upidee, Upidah.
Roedd mynd ar dodjem bach â hi
Yn hawdd na dweud 'Chi'n dod 'da fi?'

Wrth fynd ar garlam wyllt fel hyn,
    Upidee, Upidah.
Roedd esgus dros ei gwasgu'n dynn;
    Upidee, Upidah.
A phan ddôi'r bwmp fawr yn y man,
Nid own ar ôl yn gwneud 'yn rhan.

Roedd arch 'rhen Noa yn y ca',
    Upidee, Upidah.
Stondinau llestri a hwp-la,
    Upidee, Upidah.
Mi dalais am y ferch bob tro,
Er mwyn ei denu hi am dro.

Wrth ddisgwyl tato yn y ciw,
    Upidee, Upidah.
Diflannodd y frenhines, whiw,
    Upidee, Upidah.
A fraich ym mraich â Jac Llwyngwair
Fe aeth drwy'r bwlch o Barc y Ffair.

Y Ddau Blisman

Wel, dyma ni, dau blisman enwog,
Dau blisman ardderchoca'r fro.
Un bachan cadarn a chyhyrog,
Ac un bach slic sy'n gwneud y tro.
Pan fyddo ymladd neu ryw sgarmes
Neu gwmpo mas ar ganol sgwâr,
Ni'n cadw bant, a chwato yn y cwtsh dan stâr.

Ar noson syrcas neu eisteddfod,
A phan bo miloedd yn y ffair.
A phan bo cwrw yn y gwrwod,
Ni'n cwato miwn heb ddweud un gair.
Eisteddwn yn y tŷ i ddarllen
Y *Western Mail* neu'r *Evening Star*.
Ni'n cadw bant, a chwato yn y cwtsh dan stâr.

A phan bo dyn heb sein ar gambo,
Neu grwt â beic heb ole coch,
Ar unwaith byddwn yn ei ffeino,
A'i roi'n ei le gan weiddi'n groch.
Ond os bydd rhywun mawr o gorpws,
Yn sefyll lan a dadle'n dâr,
Ni'n cadw bant, a chwato yn y cwtsh dan stâr.

Ond pan bo rhyw bwr dab diofal,
Yn methu fforddio leshans ci,
Mi awn ag ef ar lam i'w dreial,
Wel dyna yw'n dyletswydd ni.
A phan bo *telly* heb un leshans,
Neu dipo defed ar y slei,
Ni'n agor mas, *'We'll put them through the mill why ay.'*

Pan fyddo rhywun yn lladd mochyn,
A heb gael permit at y gwaith,
Fe roddwn bapur glas i'r adyn,
Ac fe awn ati ar un waith.
Ond os cawn ganddo ddarn o'r balfes,
Neu ham neu ffrei neu asen dda,
Ni'n cau ein pen, awn adref heb ddweud bw na ba.

A phan bo rhywun tua'r dafarn,
Yn llechu'n hir ar ôl stop tap,
Awn yno'n ewn ac awdurdodol,
Rhown *marching orders* iddynt whap.
Ond os bydd calon y tafarnwr,
Yn cynnig un bach ar y slei,
Ni'n yfed lawr, a glwchu'r whit cyn gweud gwd bei.

Druan â'r Hen Sgwlyn

Druan â'r hen sgwlyn
A roed i ddysgu plant
Heb ddweud ei fod yn arwr
Heb ddweud ei fod yn sant.
Ond druan â'r hen sgwlyn
Sy'n eistedd wrth ei ddesg
Mae'i blantos ef mor nwyfus
A'i gorpws ef mor llesg.

Cytgan:
Druan â'r hen sgwlyn. Mae'n destun pob hen grach.
'Ma Jeni ni yn cael fel hyn, a Jeni ni yn cael fel co,
A ddylai Jeni ddim gwneud hyn, a ddylai Jeni ddim gwneud co
Ma' pawb yn gas wrth Joni ni, a neb yn ffrind â Joni ni,
A beth sy'n rong ar Joni, a phwy sy'n well na Joni ni.'
O hyd ac o hyd . . . Druan bach.

Druan â'r hen sgwlyn
Sy'n byw mewn cwb mor gaeth
Rhaid iddo ddysgu rhifo
Rhaid iddo rannu llaeth
Wel, druan â'r hen sgwlyn
Yng nghanol y P.T.
Mae'i ysbryd ef mor isel
A'r *high jump* fyny fry.

Druan â'r hen sgwlyn
A chwysodd am B.A.
Mae'n handi iddo bellach
I rannu pys a ffa.
Wel druan â'r sgwlyn
Peth da yw B.Sc.
I gyfrif biliau tato
A phwyntiau bwyd di-ri.

Druan â'r hen sgwlyn
Mae popeth yn ei ben
O hanes teithiau Moses
I seiniau 'Mentra Gwen'.
Mae'r cwbwl yn ei 'fennydd
Yn bentwr mawr di-lun
Inspectors sydd mor aml
Ac yntau'n ddim ond un.

Druan â'r hen sgwlyn
Pan ddelo'n drigain oed
Bydd fel rhyw 'nifail swci
Yn rhodio yn y coed.
Ni wiw i hwn bysgota
Heb feddwl am a fu
A theimlo bod *inspectors*
Yn filoedd o bob tu.

Cofio

Pan gerddo'r nos yn ddistaw dros Breselau,
Pan daflo'r gwyll ddieithrwch dros y coed,
Atgyfyd pob rhyw hiraeth a llawenydd,
Pob llun a llais a gerais i erioed.

Daw yno blant, cyfoedion bro fy mebyd,
Bydd nwyf eu llais yn eco pell y rhos,
Daw eto'n ôl rhyw dinc o'u hen orfoledd,
A marw'n drist ar awel fain y nos.

Hen wŷr y wlad, hen gewri llan a bwthyn,
Dychwelant oll yn llengoedd o bob tu,
I rannu'n hael o stôr eu hen chwedleuon,
A llithro fel rhyw rith i'r Angof du.

Pob dim a fu, pob atgo a phob breuddwyd,
Dônt eto'n ôl pan fo ddistawa'r rhos,
Am ennyd fach dychwelant i'm diddanu,
A chilio eilwaith draw i ddyfnder nos.

Y Blac Owt

Y mae'r fagddu fawr yn ein poeni ni,
  Byth na chyffrwy', mae mor dywyll ym mhob man.
Fe ddarfu oriau hwyl a sbri,
  Byth na chyffrwy', mae mor dywyll ym mhob man.

  Cytgan:
  Y blac owt, y blac owt,
    Y blac owt mewn tref a llan;
  Rhaid cael defnydd ar ffenestri,
    Ar bob tŷ a thwlc a festri,
  Byth na chyffrwy', mae mor dywyll ym mhob man.

Fe aeth llanc i garu meinwen gu,
  Byth na chyffrwy', etc.
Rhoes ei freichiau'n dynn am hen fuwch ddu,
  Byth na chyffrwy', etc.

I ryw siop aeth Dai i brynu tato rhost,
  Byth na chyffrwy', etc.
Tarawodd ei drwyn yn erbyn post,
  Byth na chyffrwy', etc.

Rhyw noson mi godais yn fy mrys,
  Byth na chyffrwy', etc.
Mi wisgais gâs gobennydd am fy mhen yn lle crys,
  Byth na chyffrwy', etc.

Fe aeth Anti Leisa am wâc rhyw nos,
  Byth na chyffrwy', etc.
A dywedodd 'Nos da' wrth hen hwch ar y clos,
  Byth na chyffrwy', etc.

I roi ffrwyn ym mhen y gaseg y danfonwyd rhyw grwt,
        Byth na chyffrwy', etc.
Rhoes y ffrwyn yn daclus am ei chwt,
   Byth na chyffrwy', etc.

Pan own innau ar fy ngwyliau mewn hotel ym Mlacpŵl,
   Byth na chyffrwy', etc.
Ces fy hun yn 'stafell wely rhyw dair merch o Hartlipŵl,
   Byth na chyffrwy', etc.

Siwsi

Draw ar y bryniau mae geneth fwyn,
  Siwsi, Siwsi;
Lle mae'r awelon yn suo'r brwyn,
  Siwsi fy ngeneth deg.
Yno mae'r galon yn crwydro 'nawr
  Er 'mod i 'mhell i ffwrdd.
Hiraeth sydd ynof o hyd am yr awr
  Y caf fynd adref i'w chwrdd.

Cytgan:
Siwsi, Siwsi,
  Pan ddof i eto'n ôl,
Hyfryd, jiws i,
  Cerdded hen lwybrau'r ddôl.
Cawn oedi ar bwys y gamfa
  Ar hwyrnos y gymanfa,
Tydi mor swil, a'th annwyl Wil
  Yn dy wasgu yn dynn i'w gôl.

Cofiaf am Ffair Calangaeaf gynt,
  Siwsi, Siwsi,
Minnau'n 'cytuno' am ddeugain punt,
  Siwsi fy ngeneth deg.
Tithau mor dwt yn dy hat fach wen
  Ar y ceffylau bach;
Teimlais ryw feddwdod yn llenwi 'mhen
  A gwrid yn dy ddeurudd iach.

Gwn fod y 'Khaki' yn hynod o drwm,
  Siwsi, Siwsi,
Llethol yw'r *kit bag* ar gefen crwm,
  Siwsi fy ngeneth deg.

Ond rwy'n dychmygu dy weled di
Gyda'r com-bacs ar y clos,
Hynny, f'anwylyd yw 'nghysur i
Yn oriau di-lewyrch y nos.

Sut mae'r hen Garlo yn sodli'r da,
Siwsi, Siwsi?
Sut mae'r cae tato—oes blas ar y ffa,
Siwsi fy ngeneth deg?
A oes gan 'Seren' lond bwced 'nawr?
Werthwyd y moch yn y mart?
Sut wair oedd 'leni yng ngwaelod Parc Mawr,
A phwy oedd ar ben y cart?

Cofia o hyd am fy nghalon friw,
Siwsi, Siwsi,
Pwy yw'r gwas newydd eleni, Siw?
Siwsi fy ngeneth deg.
Cadw di 'mhell rhag ei wenau ef,
Nes cawn ni fynd i'r sêt fawr.
Pan ddaw hi'n heddwch a throi tua thref
Cawn dorri ein henwau i lawr.

Dwybunt yr Erw

Mi arddaf bob tamaid o'r tir sydd yn sbâr,
Dwybunt yr erw, bois.
Rhaid codi bwyd hwchod a thamaid i'r iâr,
Dwybunt yr erw, bois.

Cytgan:
Dwybunt, ie dwybunt, ie dwybunt yr un,
Dwybunt, ie dwybunt, ie dwybunt yr un,
Dwybunt yr un, dwybunt yr un,
Dwybunt yr erw, bois.

Mae'n rhaid i'r lein ddillad i newid ei lle,
Dwybunt yr erw, bois.
Symudwch hi, fechgyn, 'does 'waniaeth i ble.
Dwybunt yr erw, bois.

Symudwch yr offer o waelod y clos,
Dwybunt yr erw, bois.
Bydd gwaelod y ddomen yn gwysi cyn nos,
Dwybunt yr erw, bois.

Mae tair llathen sgwâr gerllaw cwb Carlo'r ci,
Dwybunt yr erw, bois.
Rhowch offer ar unwaith ar gefn y cel du,
Dwybunt yr erw, bois.

Lle tyfodd dail tafol ar bwys twlc y moch,
Dwybunt yr erw, bois.
Bydd tamaid cyn goched â chanol eich boch,
Dwybunt yr erw, bois.

Mae'r beudy yn ormod o lawer i ni,
  Dwybunt yr erw, bois.
Wel, arddwch ei hanner, ie'n siŵr, bant â hi.
  Dwybunt yr erw, bois.

Mae'n biti bo'r gwair yn y das heb ei ail,
  Dwybunt yr erw, bois.
Fe allem roi'r arad ar unwaith trwy'r sail,
  Dwybunt yr erw, bois.

Mae'n biti bo'r garej â'i llawr o siment,
  Dwybunt yr erw, bois.
Caem 'redig y cornel, er mwyn talu'r rhent,
  Dwybunt yr erw, bois.

Ar furiau y cartws bydd gwenith a cheirch,
  Dwybunt yr erw, bois.
Bydd cennin a bîtrwt yn stabal y meirch,
  Dwybunt yr erw, bois.

Gwnawn ddefnydd o bopeth trwy ymdrech a chwys,
  Dwybunt yr erw, bois.
Yng ngwaelod y whilber gosodwn goed pys,
  Dwybunt yr erw, bois.

Cwtsh Dan Stâr

Mae gennyf loches rhag y bom,
  Cwtsh dan stâr, cwtsh dan stâr,
Lle rhed y wraig a fi a'r pom,
  Cwtsh bach net dan stâr.
Caf yno lonydd rhag pob sŵn,
Rhag eroplên a chyfarth cŵn.

  Cytgan:
  Bant â ni i'r cwtsh dan stâr,
  Cwtsh dan stâr, cwtsh dan stâr,
  Bant â ni i'r cwtsh dan stâr,
  Cwtsh bach net dan stâr.

Pan aiff yr hwter yn ei grym,
  Cwtsh dan stâr, cwtsh dan stâr,
Awn yno'n haid heb oedi dim,
  Cwtsh bach net dan stâr.
Trwy'r fagddu greulon awn ar lam
I blith y glo a'r potiau jam.

Nid oes na soffa na setî,
  Cwtsh dan stâr, cwtsh dan stâr,
I'r cwtsh bach yma, cofiwch chi,
  Cwtsh bach net dan stâr.
Ond yno byddwn yn jocôs
Yn rhyw bendwmpian gydol nos.

Os blin yw eistedd yn ein plyg,
  Cwtsh dan stâr, cwtsh dan stâr,
Ac oeri'r traed nes mynd yn gryg,
  Cwtsh bach net dan stâr.
Mae hynny'n well na blas y bom
I fi a'r wraig a'r annwyl bom.

Os bydd pryfedyn yn fy nghlust,
   Cwtsh dan stâr, cwtsh dan stâr,
A gwich llygoden yn y gist,
   Cwtsh bach net dan stâr.
A duo 'nwylo yn y glo,
Mi fyddaf iach, bid fel y bo.

Mi af â phopeth lawr i'r cwtsh,
   Cwtsh dan stâr, cwtsh dan stâr.
Rysáit y dreth, a'r bib a'r pwtsh,
   Cwtsh bach net dan stâr;
Llythyron caru'r dyddiau gynt
A 'nghyfoeth mawr sy'n llai na phunt.

Ond beth 'wy'n siarad, ffrindiau, ust,
   Cwtsh dan stâr, cwtsh dan stâr.
Mae sŵn yr hwter yn fy nghlust,
   Cwtsh bach net dan stâr.
Mi af i glwydo fel yr iâr
I gornel pella'r cwtsh dan stâr.

Y Dyfodol Disglair

Mae yna ddynion sy'n alluog iawn,
Dynion o dalent ac o ddawn.
Daw rhywbeth newydd beunydd ger ein bron,
Defod a ffasiwn newydd sbon.

Cytgan:
Ffarwél i'r hen fywyd 'slawer dy'
Sylwch ar y cynnydd sydd o bob tu.
Ffarwél i'r hen fywyd 'slawer dy'
Sylwch ar y cynnydd sydd o bob tu.

Bu dyn yn fwnci yn y goedwig gynt
Yn caru ar gangen trwy law a gwynt.
Heddiw fe welwch Tobi bach y ci
Yn trafod ei asgwrn ar ben y setî.

Gwella mae pethau, ie, o ddydd i ddydd,
Llawer rhyfeddod eto a fydd.
Porthir y gwartheg â'r fath ddanteithion ffein
Nes godro llond bwced o *champagne*.

Bydd ambell filgi yn dysgu dreifo car,
A Morgan y fferet yn cysgu gyda jar.
Bydd yntau'r mochyn yn ei ddresin gown,
A'r gaseg yn chwyrnu dan *eiderdown*.

Switch bach fan yma, *switch* bach fan draw,
Popeth yn dyfod yn dwt i'ch llaw.
Hyfryd fydd gorwedd yn y gwely sgwâr
A'r bacwn a'r wyau yn trotian dros y stâr.

Bydd rhyw fecanic yn llunio ysgol hir
I gyrraedd y lleuad mewn eiliad yn wir.
Mawrheir ei golau trwy ffito bwlb go fawr
Nes gweled cwningod yn winco ar y llawr.

Ym mhoced ein wasgod dodir rhywbeth bach
A wna inni hedfan drwy yr awyr iach.
Awn ar ôl cinio i 'Steddfod Newfoundland
A 'nôl i Aberystwyth i wrando ar y band.

Cawn wrando pregeth gartref ar y stôl,
A'n holl weinidogion yn swancan ar y dôl;
Cymanfaoedd canu yn dod yn *ready-made*,
Cawn arian y casgliad i brynu lemonêd.

Trwy'r *television* cawn weled bois o bant,
Rhai yn tynnu tato, rhai yn tynnu dant;
Dynion Awstralia yn cneifio gyda'r wawr,
Menywod Siberia yn gwisgo mwffler mawr.

Bydd modd bryd hynny i fenyw o'r wlad hon
I estyn ei chusan i'w chariad yn Ceylon;
Os na fydd patrwm chwaethus i'w *plus-fours*,
Digon fydd hynny i hawlio di-fôrs.

Yr 'L' goch

Mi brynais fotor bach ail law
  Am y nesaf peth i ddim;
Seven-horse bach twt o lwyd y baw
  Ag ynddo ysbryd chwim.
Mil chwimach ydyw'r cerbyd bach
  Na milgwn gorau'r fro,
Ond ofnaf nad wy'n ddigon iach
  I'w handlo rownd y tro.

  Cytgan:
  Tipyn o gamp ydyw dreifo,
    Coch ydyw newid gêr;
  Ond gwisgo L, ar gar bach swel,
    Yw'r cochaf peth dan y sêr.

Mi es am dro â'r cerbyd twt
  Ar hyd yr heol dar;
Roedd Mari'r wraig ar sêt y gwt
  A'r L ar gwt y car.
Aeth rhywbeth bach o'i le yn awr
  Wrth newid lan i *top*.
A chwarddai lluoedd yr hewl fawr
  O'm gweled i ar *stop*.

Es mas o betrol, bois, rhyw dro
  Ar riw Llwyncelyn serth,
A rhag fy ngwawdio gan y fro
  Ymguddiais yn y berth.
Mi rois yr L i grwtyn ffel
  A basiai heibio'n ffri.
Roedd yntau'n falch o'r presant del
  A diolchgar oeddwn i.

Ces bractis newid gêr rhyw nos
A'r pocer yn y grat.
Roedd Pws yn chwyrnu ar fy ngho's
A'r *foot-brake* ar y mat.
Mor ddiddan oedd hi yno, wir,
Heb angen gwisgo L,
Yn cyflym fynd o gylch y sir
Ar bwys fy mhriod ffel.

Daeth dydd y *test* a'i bryder dwys,
Ar hyd a lled y dre;
Roedd dyn go' foliog ar fy mhwys
Yn gweiddi 'Trowch i'r dde!'
Es innau, yn fy mhryder mawr,
I byslo'n ddwys am sbel,
A dyna pam rwyf innau nawr
Yn ffyddlon i'r ddwy L.

Chwerthin

Eitha beth yw chwerthin, bois, ie chwerthin dros y lle,
Chwerthin nes bo dyn yn dost, ni waeth pa fodd, pa le,
Chwerthin cyn cael brecwast, bois, a chwerthin ar ôl te.
Hyfryd yw pwl bach o chwerthin.

Cytgan:
Ha-ha, Ha-ha,
Ha-ha, Ha-ha, Ha-ha.
Ha-ha, Ha-ha,
Mae chwerthin yn beth da.
Chwerthin cyn cael brecwast, bois, a chwerthin ar ôl te,
Hyfryd yw pwl bach o chwerthin.

Anodd chwerthin os bydd dannedd dodi yn eich pen,
Chwerthin slei yw hwnnw, wir, rhyw chwerthin o dan len,
Chwerthin fel pe bai eich boch yn dalpyn mawr o bren,
Hyfryd yw pwl bach o chwerthin.

Cytgan:
Ha-ha, Ha-ha,
Ha-ha, Ha-ha, Ha-ha.
Ha-ha, Ha-ha,
Yn dawel, welwch chi.
Chwerthin cyn cael brecwast, bois, a chwerthin ar ôl te,
Hyfryd yw pwl bach o chwerthin.

Pan fo partner bach i ni yn cerdded gyda merch,
Chwerthin wnawn yn wawdlyd iawn er cymaint fyddo'i serch,
Chwerthin nes bo'i fochau bach yn goch gan swildod erch,
Hyfryd yw pwl bach o chwerthin.

Cytgan:

Ha-ha, Ha-ha,
Ha-ha, Ha-ha, Ha-ha.
Ha-ha, Ha-ha,
Ie chwerthin dros y lle.
Chwerthin cyn cael brecwast, bois, a chwerthin ar ôl te,
Hyfryd yw pwl bach o chwerthin.

Pan fo rhywun yn cael hwyl ar adrodd stori dda,
Chwerthin wnawn o un i un nes mynd o'r peth yn bla,
Chwerthin Hi-hi-hi, He-he, Ho-ho, Ha-ha-ha-ha,
Hyfryd yw pwl bach o chwerthin.

Cytgan:

Ha-ha, Ha-ha,
Ha-ha, Ha-ha, Ha-ha.
Ha-ha, Ha-ha,
Ie chwerthin dros y fro.
Chwerthin cyn cael brecwast, bois, a chwerthin ar ôl te,
Hyfryd yw pwl bach o chwerthin.

Clefyd y Darts

’Rol cwpla ’ngwaith rhyw nos mi es am wacen fach i’r dre,
A diflas oedd hi yno heb un dyn oddeutu’r lle,
A throis i mewn i dafarn bach cysurus ar y dde
Er nad wyf byth yn yfed, cofiwch chi.

Cytgan:
Roedd pobun wrthi’n taro’r dwbwl,
Roedd pobun wrthi’n taro’r dwbwl,
Roedd pobun wrthi’n taro’r dwbwl,
A pham oedd hynny’n bod, wel dwedwch chi.

Yr o’wn i’n leico’r chware, byth na chyffrwyf i o’r fan,
A chodais ar fy nhraed i gadw llygad yn y man,
A theimlwn, pe cawn siawns, y gallwn daro’r dwbwl wan,
Er nad own wedi treio, cofiwch chi.

Bu bron i mi anghofio prynu siwgwr brown a the;
Mi gerddais fel breuddwydiwr dros heolydd llaith y dre.
Mi delais swm am sèt o ddarts cyn cychwyn tua thre,
Er nad wyf byth yn gwario, cofiwch chi.

Ar ôl cael swper blasus iawn o dato, cig a reis,
Anelais gwilsyn at y wal i dreio ’nawn a’m seis,
A’r argoel! dyma ergyd, whiw, trwy ffoto Anti Leis
Nes bo hwnnw’n yfflon ffradach ar y llawr.

Rhyw ddydd daeth ein gweinidog i roi tro amdanom ni,
A chawsom gêm fach ar y slei, y bugail mwyn a fi;
Yr o’wn i ’mlaen o bellter nes oedd rhaid cael dwbwl *three*,
Ond y ’gethwr bach enillodd, ie siŵr.

Mae papur wal y gegin erbyn hyn yn dyllau mân,
Ac er bo’r corff yn pallu ’nawr, a ’ngwallt i fel y gwlân,
Rwy’n para i gael gêm fach yn lle eistedd wrth y tân,
Waeth treio cael y dwbwl wyf o hyd.

Mynd i'r Tôcis

Tair hen wraig a aeth i'r Plasa,
  Minnie ni a Winnie ni a Phebi necs dôr.
Gwelsant yr anifeiliaid casa,
  Minnie ni a Winnie ni a Phebi necs dôr.
Bu rhaid fforco mas o'r goden,
  Minnie ni a Winnie ni a Phebi necs dôr.
Er mwyn gweled Mici'r Llygoden,
  Minnie ni a Winnie ni a Phebi necs dôr.

Bu'r hen wragedd yn crio'n arw,
  Minnie ni a Winnie ni a Phebi necs dôr.
O weld Ysbaenwr dan draed y tarw,
  Minnie ni a Winnie ni a Phebi necs dôr.
Ond daeth pwl o chwerthin teidi,
  Minnie ni a Winnie ni a Phebi necs dôr.
Pan ddaeth ffeit rhwng 'Laurel and Hardy',
  Minnie ni a Winnie ni a Phebi necs dôr.

Pan ddaeth llun y morfil penna',
  Minnie ni a Winnie ni a Phebi necs dôr.
Gwaeddodd y tair 'Wel ble mae Jona?'
  Minnie ni a Winnie ni a Phebi necs dôr.
Gwelsant ddyn yn llyncu raser,
  Minnie ni a Winnie ni a Phebi necs dôr.
A hwyaden yn gwisgo trowser,
  Minnie ni a Winnie ni a Phebi necs dôr.

Hyfryd oedd hi heb un gole,
  Minnie ni a Winnie ni a Phebi necs dôr.
A chwshin esmwyth o dan eu penole,
  Minnie ni a Winnie ni a Phebi necs dôr.
A mwynhau mwgyn neisa',
  Minnie ni a Winnie ni a Phebi necs dôr.
A chwythu'r mwg i glust y dyn nesa',
  Minnie ni a Winnie ni a Phebi necs dôr.

Dai a Fi

Mae gennyf bartner gorau'r byd
Sydd yn cadw'n dynn wrth fy nghwt o hyd.
Pan wyf innau dan fy mai,
Felly hefyd y bydd Dai.

Cytgan:
Dai a fi, Dai a fi,
Tipyn bach o sbort rhwng Dai a fi,
Dai a fi, Dai a fi,
Tipyn bach o sbort rhwng Dai a fi.

Mi aethom ar ryw noson ffein
I gnoco ar ferched bach Blaenweun.
Pan ges i gnoiad gan y ci
Cnoiwyd Dai 'run fath â fi.

Mi gawsom groeso mewn i'r tŷ
Ac eistedd wedyn ar y setî.
Pan ges i gusan ffein gan Mai
Rhoddodd Marged un i Dai.

A chyn bo hir daeth pryd o ham
A thipyn bach o sos a *home-made jam*,
Pan ganmolais y *mince pie*,
Canmol hefyd a wnaeth Dai.

Ond pan yn gwasgu'r ddwy yn glòs
I lawr dros y stâr y daeth y bòs.
Wedi derbyn fy 'mlack-eye',
Gwelais hefyd un gan Dai.

Fe frysiwyd allan ar un naid
Ac at y beics trwy ganol y llaid;
Pan ges i 'bwnsher' ar fy mhlat
Gwaeddodd Dai, 'Mae fy whîl yn fflat.'

Mi gefais annwyd trwm yn wir
Ac awd â fi i ysbyty'r sir.
Pan o'm cwsg y des rownd, fel petai,
Yn y gwely nesa' yr oedd Dai.

Hen bartner da yw Dai, bid siŵr,
Ni fu erioed ffyddlonach gŵr.
Pan ddaw'r dydd i'm llygaid gau
Cofiwch hefyd am angladd Dai.

Bwrw Glaw

Mae'n od fel mae'r tywydd yn rhwystr i ddyn,
Rhwystr i wyth o bob naw,
Rhwystr i ddynion ariannog, a gwŷr
Diwyd y mandrel a'r rhaw.
Pan fyddo'r gobeithion yn uchel dros ben,
Am ddiwrnod go bwysig a ddaw,
Fe'u chwelir yn deilchion i'r tlodion a'r beilchion,
—Myn hyfryd i, bois—Bwrw glaw!

Cytgan:
Bwrw glaw, bwrw glaw,
Er trefnu a siarad di-daw,
Bwrw fel dilyw neu fwrw glaw mân,
Bwrw'r prynhawn neu o'r bore ymlân,
Nes cael swper go ddiflas am naw,
A'r dillad yn stecs ar bob llaw,
Beth bynnag sy i gyfri,
A siarad o ddifri,
Os bydd rhywbeth ymlân—Bwrw glaw!

Aeth Leis Pantybwci i'r dre i gael hat
Ar drip ysgol Sul Penyclaw',
Cwatodd hi'n barchus mewn bocs ar y llofft,
Cadwodd hi'n bell 'wrth y baw;
Ond pan ddaeth y bore i fynd gyda'r trip,
Roedd hen gwmwl torddu fan draw,
A Leisa yn pinco,
Daeth sŵn ar y sinc-'co
—Myn hyfryd i, bois—Bwrw glaw!

Roedd gwair Jac-Penfeidr yn hyfryd o gras,
'Nenwedig gwair gwndwn Parc-Draw,
Y bloneg yn dalpau ar olwyn y cart,
A'r cig yn y ffwrn erbyn naw.
Y gweithwyr yn tyrru o bob rhan o'r fro
A'r diod mewn stên ar y claw',
Ar ôl gwisgo Sambo
Yn dwt ar y gambo
—Myn hyfryd i, bois—Bwrw glaw!

Bu Jane Dyffryn-cagal yn brysur dros ben,
Yn golchi dilladach i naw,
Fe'u taenodd yn deidi, yn bans ac yn grys
I sychu ar lwyni y claw'!
Roedd rhestr o grysau a sanau a *vests*
Yn dirwyn i'r pellter draw,
Ond wrth daenu jersi
A throwser i Persi
—Myn hyfryd i, bois—Bwrw glaw!

Cerddoriaeth y Fferm

Y mae gennyf fferm, draw wrth droed y bryn,
Mewn hen gornel unig iawn,
Yno clywaf sŵn lloi a ieir a chŵn,
Yno caf gerddorfa lawn.

Cytgan:
Clywch, clywch, mŵ-mŵ-mŵ, clywch, clywch,
Bow-wow-wow,
Clywch, clywch, hy-hy-hy-hy ymhobman,
Clywch, clywch, rhoch-rhoch-rhoch, clywch,
Clywch, cwâc, cwâc, cwâc,
Clywch, clywch, mê-mê-mê ymhobman;
Y mae miwsig grand gan aelodau'r band,
O'r tŷ lloi i dwlc y moch a'r ydlan,
Clywch, clywch, mŵ-mŵ-mŵ, clywch, clywch,
Bow-wow-wow,
Clywch, clywch, mê-mê-mê ymhobman.

Chwytha'r tarw coch, â'i holl egni mawr,
Nes cael seiniau oer a chras,
Weithiau ar y lôn, chwery ei drombôn,
Weithiau gyda'r dwbwl bas.

Clywch y Nani fraith, acw ger y llwyn,
Wrthi bob yn ail â'r llo,
Tyner yw ei sain, cryna fel y diain,
Hyfryd yw ei threm-ol-o.

Tiwnio'r ffliwt o hyd a wna'r dwrcen fach,
Hyd yn oed wrth fwyta'r corn,
Clywir weithiau sŵn, megis tinc baswn,
A chawn urddas y 'French Horn'.

Y mae'r corgi coch, er ei fod yn sâl,
  Weithiau yn rhoi tonc i'r fet,
Weithiau â'r gitâr bydd yn cwyno'n dâr,
  Weithiau chwyth drwy'r clarinet.

Pan fo'n dywydd gwael, pan fo'r gwair ar lawr,
  Pan fo'r lloi a'r moch yn slac,
Chwerthin wnaf yn llon, a chael hedd i'm bron,
  Pan yn clywed cân com-bac.

Basned o Fara Te

Pan fyddaf weithiau gartref wrth fy hunan,
A'r wraig yn gwario'i harian ym Mhorthcawl,
Mi fyddaf i a Pws
Yn byw heb unrhyw ffws,
Heb unrhyw wledd o gig na stiw na chawl.

Cytgan:
Mi gaf wledd anghyffredin yn ymyl y tân,
Basned o fara te.
Caf ymestyn fy nghoesau o gwmpas y tân,
Basned o fara te.
Mi fyddaf byw heb unrhyw ffws,
A dyna hefyd yw dymuniad Pws.
Mi gaf wledd anghyffredin yn ymyl y tân,
Basned o fara te.

Rwy'n fodlon i chi wledda ar jam sangwej,
Pob lwc i chwi wrth fwyta riwbob fflan,
Pob parch i *fish and chips*
Ar ddiwedd ffair neu drips,
Mae'n well gen i gael bwyd sy'n cwcan, bang!

Mi dreiais gynt fy llaw ar gwcan twrci,
Mi rois e'n gymen iawn ar step y ffwrn,
Ar hanner bwydo'r cel
Daeth teligram o smel,
Roedd corff y twrci'n llai na seis fy nwrn!

Ces gynnig, rywbryd arall, ar wneud grefi,
Roedd llond y llester grefi nawr o ffat,
Rhois ddyrnaid mawr o fflŵr,
A thipyn bach o ddŵr,
Rhyw res o dwmplins brown oedd ar fy mhlat!

Hen fusnes od yw torri bara menyn,
’N enwedig pan fo’r menyn fel yr ha’rn,
Heb symud fawr o’m lle
Caf bryd o fara te,
Does dim i’w wneud ond torri’r bara’n sarn.

A hawdd o beth i mi fydd golchi’r llestri,
Dim ond y basin, bellach, fydd yn frwnt,
Mae hwn yn ddigon mawr,
I stwffio’r clwtyn lawr,
A’i sychu fel y pìn—mae’n rhwydd tu hwnt.

Yr Ig (*Hiccups*)

Hen beth go ddiflas yw bod yn gryg,
Hen beth cas yw natur ddig,
Ond y peth casaf i gyd yw'r ig
O dyna beth cas;
Rwyf wedi dioddef lawer tro
A mynd i deimlo mor dwp â llo—
Cael pwl o'r ig, nawr, wrth ddweud, 'Hylô',
O dyna beth cas.

Cytgan:
O dyna beth cas,
Ofnadwy o gas,
Cael pwl o'r ig 'nawr ar hen amser od,
O dyna beth cas.

Ebe'r hen sgwlyn ers llawer dy'
'*You turn round and look at me,*
Run through your tables now boy, quickly,'
A dyna beth cas;
'*Sir, twice one are two, twice two are . . .* (*hic*)
Twice three are six, twice four are . . . (*hic*)
Twice five are ten, twice six are . . . (*hic*)

Pan own i'n siarad ar ddiwedd cwrdd,
Es i dopi fel rhyw hwrdd,
Rhoddwn y byd am gael mynd i ffwrdd,
O, dyna beth cas;
'Wel, Meistr Cadeir . . . (*hic*), diolch i chi,
Am ddod i helpu ein hach . . . (*hic*) ni,
Am roi o'r boced mor . . . (*hic*) a ffri,
O dyna beth cas.

O.N. Lle ceir y gair 'hic' gwneler sŵn yr ig. Gellir amrywio hwnnw fel y mynno'r canwr.

Clywais lygoden yn crafu'r wal,
   Euthum ati i dreio'i dal,
Pawb fel y bedd, 'nawr, o Berti i Sal,
   O dyna beth cas;
A phan own i'n symud yn nes at y sgiw,
A phawb yn ddistaw heb siw na miw,
Daeth pwl o'r ig, 'te, a bant â hi, whiw.
   O dyna beth cas.

Yr A.T.S.

Mae Tomos Pant-y-defaid
  Mewn tipyn bach o fès,
Waeth mae Hana wedi mynd i ffwrdd
  I joino'r A.T.S.

  Cytgan:
  Left, Right, Left, Right, Left, Left,
  Left-right, Left-right, Left.
    Atten . . . tion!
  O! mi garwn weled Hana
    Gyda'i breichiau mawr ar led,
  A'i hiwnifform yn sgleinio
    Bob bore *on parade*.

'Dyw Hana ddim yn ifanc,
  Mae 'nawr yn drigain oed,
Ond ni welwyd cryfach stamp mewn dyn,
  O naddo 'te, erioed.

Disgynnodd *high explosive*,
  Mae sied y ffowls mewn mès,
Dyna pam yr aeth hi bant mewn steil
  I joino'r A.T.S.

'Wel, Tomos,' ebe Hana,
  'Rwyf wedi dioddef lot,
Ond caiff Hitler dalu, caiff, myn brain,
  Am ladd y Weiandot.'

Roedd Carlo yn anesmwyth,
  Yn chwyrnu braidd yn gryf,
O weld y cwdyn ar ei chefn
  Wrth ddod am *seven days leave*.

Dwy streipen bert ofnadwy
  Ar lawes ei chot fawr,
A'r hen Domos 'nawr yn teimlo'n shei,
  Yn edrych ar y llawr.

Ond ebe fe o'r diwedd,
  'Mae'n gwella arna' i,
Ar fy nghefen i roedd y streips i gyd,
  Maent bellach arnat ti!'

Cheerio 'te, Twdl-ŵ

Beth 'rych chi'n ddweud wrth fynd i ffwrdd?
Twdl-ŵ;
Beth 'rych chi'n ddweud wrth fynd i ffwrdd?
Twdl-ŵ;
Beth 'rych chi'n ddweud wrth fynd i ffwrdd,
Wrth fynd ar eich gwyliau neu fynd i'r cwrdd?
Cheerio 'te, twdl-ŵ.

Beth mae'r hen geiliog yn ddweud wrth yr iâr?
Twdl-ŵ;
Beth mae'r hen geiliog yn ddweud wrth yr iâr?
Twdl-ŵ;
Beth mae'r hen geiliog yn ddweud wrth yr iâr,
Pan fo hithau'n mynd i ddodwy ei siâr?
Cheerio 'te, twdl-ŵ.

Beth ddwedodd Mari wrth grys ei gŵr?
Twdl-ŵ;
Beth ddwedodd Mari wrth grys ei gŵr?
Twdl-ŵ;
Beth ddwedodd Mari wrth grys ei gŵr,
Pan syrthiodd o'r twba a mynd gyda'r dŵr?
Cheerio 'te, twdl-ŵ.

Beth mae pob croten yn ddweud wrth ei llanc?
Twdl-ŵ;
Beth mae pob croten yn ddweud wrth ei llanc?
Twdl-ŵ;
Beth mae pob croten yn ddweud wrth ei llanc,
Ar ôl cael ei arian i gyd o'r banc?
Cheerio 'te, twdl-ŵ.

Beth ddwedodd y trowt wrth y lein a'r bach?
Twdl-ŵ;
Beth ddwedodd y trowt wrth y lein a'r bach?
Twdl-ŵ;
Beth ddwedodd y trowt wrth y lein a'r bach,
Wrth neidio i'r afon a'i groen yn iach?
Cheerio 'te, twdl-ŵ.

Beth ddwedodd y bowler wrth ben y dyn?
Twdl-ŵ;
Beth ddwedodd y bowler wrth ben y dyn?
Twdl-ŵ;
Beth ddwedodd y bowler wrth ben y dyn,
Wrth fynd gyda'r gwynt ar fore dydd Llun?
Cheerio 'te, twdl-ŵ.

Beth ddwedodd y trên wrth John Pwllyrhôd?
Twdl-ŵ;
Beth ddwedodd y trên wrth John Pwllyrhôd?
Twdl-ŵ;
Beth ddwedodd y trên wrth John Pwllyrhôd,
Pan oedd y trên yn mynd a John yn dod?
Cheerio 'te, twdl-ŵ.

Y Ffarmwr—Pwr Dab

Mae'r brain yn y tato heno 'to,
  Gyr-â, Gyr-â,
Mi garwn eu herlid bob copa o'r fro,
  Gyr-â, Gyr-â;
Mi ânt â'r tato i gyd yn y man,
Mae'r cwbwl yn hala dyn yn wan.

  Cytgan:
  O mae popeth byw yn poeni'r hen ffermwr bach,
  O mae popeth byw yn poeni'r hen ffermwr bach.

Mae'r hen geiliog melyn ar ben y sièd,
  Whish-goc,
Mi chwalith y llafur, cer', bŵr e, Ned,
  Whish-goc, Whish-goc;
Bŵr e'n ei lasog, neu bŵr e'n ei ben,
Bŵr e â charreg, neu bŵr e â phren.

Hei, Ned, y mae'r defaid yng nghanol y gwair,
  Rh-r-r, Rh-r-r,
Mi werthaf y lladron am swllt a thair,
  Rh-r-r, Rh-r-r;
Mae rheina yn gwledda trwy'r dydd, myn brain,
A minnau fan yma yn llipryn main.

Wel, Ned, yr hen bwdryn, cer, galw yr ast,
  Good bitch, good bitch,
Wel, gwna iddi symud yn weddol o ffast,
  Good bitch, good bitch;
Pa werth yw ei thendo trwy'r dydd â bwyd,
Mae'n well inni foddi y bwdren lwyd.

O'r annwyl mae Pws yn y bwced ll'ath,
   Whish-git, Whish-git,
Ni welais erioed y fath folgast o gath,
   Whish-git, Whish-git;
'Rôl colli chwys i odro'r fuwch,
Mae'r lla'th yn awr yn llawn o luwch.

Mae'r fuwch 'co yn dianc dros ben y claw',
   Trwy-fach, trwy-fach,
Wel cer trwy'r bwlch o'i bla'n hi fan draw,
   Trwy-fach, trwy-fach;
Mi red fel ffŵl fan hyn a fan 'co,
A hithau hefyd bron dod â llo.

Hei, Ned, dacw'r gaseg yn rhedeg bant,
   Wo-bach, Wo-bach,
Mae'n rhedeg â'r gambo i ymyl y nant,
   Wo-bach, Wo-bach;
Fe dyr y shaffts a'r cyfan i gyd,
Mae'r lle yn garlibwns trwy'r dydd ar ei hyd.

Rwy'n meddwl yr af i'r gwely am sbel,
   O diêr, O diêr,
O olwg y cathod, a'r fuwch a'r cel,
   O diêr, O diêr;
Mae'r ieir a'r ceiliogod i gyd yn cael sbort,
A'r men'wod a'r plantach a Ned a Mort.

Yr Ifaciwî

Pan ddaeth y plant o Lundain,
  Yn dyrfa ddigon tlawd,
Roedd yno un fach groenddu,
  Heb groeso ffrind na brawd;
Daeth ataf gan ddywedyd—
  'Oh! Sir, will you take me?'
Wel, dwedwch beth a fynnoch,
  Rwy'n ffrind i'r ifaciwî.

  Cytgan:
    Rwy'n ffrind i'r ifaciwî,
    Rwy'n ffrind i'r ifaciwî,
  Wel, dwedwch beth a fynnoch,
    Rwy'n ffrind i'r ifaciwî.

Mi gwisgais hi â sidan
  A dillad o bob lliw,
Ac yn ei gwallt bach cyrliog
  Rhois ruban nefi bliw;
Fe gerddai fel brenhines,
  Mewn *shoes* bach 'Picotee';
Wel, dwedwch beth a fynnoch—
  Rwy'n ffrind i'r ifaciwî.

Pan gafodd gawl i ginio,
  Y diwrnod cynta' 'rioed,
A chael llwy bren i'w yfed,
  Dywedodd yn ddi-oed—
'Oh, uncle, fancy drinking
  Your soup with a bit of tree,'
Wel, dwedwch beth a fynnoch,
  Rwy'n ffrind i'r ifaciwî.

Pan fyddo'r wraig a minnau
  Yn hanner cwympo mas,
Daw gwên ei dannedd gwynion
  Fel haul ataliol ras;
Daw rhyngom ni gan sisial—
  'Fi bod yn *referee*,'
Wel, dwedwch beth a fynnoch,
  Rwy'n ffrind i'r ifaciwî.

Lled feddal yw ei hacen,
  Wrth siarad yn Gymraeg;
'Wel, shwt yc ci,' rwy'n glywed
  Ar aelwyd Tanygraig;
Pan ddaw hi'n heddwch, ffrindiau,
  Mi wylaf ddagrau'n lli;
Peth anodd fydd ffarwelio
  Â'r fwyn ifaciwî.

Cytgan:
  Â'r fwyn ifaciwî,
  Â'r fwyn ifaciwî,
Peth anodd fydd ffarwelio,
  Â'r fwyn ifaciwî.

Dadi-dadi

Does ryfedd bo 'ngwallt i yn britho,
  Rwy'n dad i ryw ddeuddeg o blant,
Mae byw yn eu sŵn a'u lleferydd,
  Yn ddigon i ddrysu'r un sant.

  Cytgan:
  'Dadi-dadi'—dyna yw'r gân ddydd a nos,
  'Dadi-dadi'—O, dyna yw'r gân ddydd a nos.

Mi euthum i'r dre un diwrnod,
  Gan gario John Wili mewn siôl;
Mi sgrechiodd â lleisiau aflafar,
  Wrth basio rhyw siop gwerthu dol.

Ac er mwyn tawelu ei natur,
  Mi brynais chwe modfedd o roc,
Ond llefen o hyd wnaeth John Wili,
  Gan ddial drwy blastro ei ffroc.

Rwy'n gorfod rhoi chwech i'r crwt hyna',
  Cyn cael ganddo dorri ei wallt,
A rhwng rhoi chwech arall i'r barbwr,
  Mae'n fusnes sy'n costu yn hallt.

Pe gwelsech chi wyneb y babi,
  Daeth *rash* drosto i gyd—howyr bach;
Ond llefen wnaeth Jane gan ddywedyd—
  'O, Dadi, ma fi ishe crach.'

Mae golchi eu traed yn berfformans,
  Sy'n fy ngwneud i yn gacwn o grac;
Waeth erbyn dod at y deuddegfed,
  Mae traed nymber wan fel y blac.

Mae arwain y *convoy* i'r gwely,
Byth na chyffrwy' yn dipyn o job,
Waeth erbyn bod Jane ar y landin,
Ar bwys drws y ffrynt y bydd Bob.

Er mwyn eu diddosi â 'sgidiau,
Rhaid twrian i'r boced yn is;
Mae rhoi bob o bâr yn y flwyddyn,
Yn golygu rhoi un pâr y mis.

Mae Millicent May, y ferch hyna',
Yn hwyr yn yr ysgol bob tro;
A hynny wrth ddisgwyl y basin
Waeth nawr dim ond un bach sy 'co.

Y Cownti Sgŵl

Yr oedd pawb o'r ardal acw'n dweud fy mod i yn reial ffŵl,
I wario f'arian wrth roi'r crwt i mewn yn y Cownti Sgŵl;
Ond mae'i weld e'n dysgu'i waith fel tân yn fy notio i yn llwyr,
Mae'n llyncu Latin, Maths a French, fel whare, dyn a ŵyr.

Cytgan:
Rwy'n teimlo'n prowd o Tomi ni,
Waeth mae'r crwt yn y Cownti Sgŵl.

Mae'n siarad Latin bant fel whîl pan fo'n sefyll ar y clos,
'*Dominus, domine, dominum,*' medde fe, ac felly mlaen drwy'r nos,
'*Domini, domini, dominos,*' medde fe, '*dominorum, dominis, dominis,*
'*Magister, magister, magistrum,*' medde fe, wrth y gwair yn llewys 'i grys.

Bu'n siarad French â Soff Pentop rhyw ddiwrnod wrth y gwair,
A gwelais honno'n cochi lan fel tomato ffres o'r ffair;
'*Parlez vous Français, Mademoiselle,*' ac ebe Soffi, 'Yr hen ffŵl,
Os dyna'r dwli wyt ti'n ei gael, wel wfft i'th hen Gownti Sgŵl.'

Mewn *Chemistry* mae'n gwneud yn dda, mae o hyd ar dop y clas,
Mae'n cymysgu cwrdeb, dŵr a sos a'u rhoi mewn potel bas,
Mae'n leico handlo'r Basic Slag, a'r cake a bwyd y llo,
Ac mae'n dweud wrth ofyn am ddŵr, 'O Mam, dewch â glased o H_2O.'

Mi grwydrodd dwy o'n defaid ni o'r cae y dydd o'r bla'n,
A gofynnais i'r crwt faint oedd ar ôl, er mwyn gweld sut oedd e'n dod ymla'n;
Ac ebe Tomi yn sydyn reit, 'Wel, Dadi, ar fy llw—
Os oedd *x* o ddefaid yn y cae, maent yn awr yn *x minus two*.'

Mae'n troi ei gorff yn ystwyth iawn wrth arfer y P.T.
Mae'n chwifio'i freichiau dros y lle, gan ddweud '*One, two and three*';
Mae'n plygu'r pen rhwng ei ddwy ben-lin nes bo'i wyneb bach yn las,
Ac mae'n sefyll yno'n hollol sdiff, a'i bart ôl e'n stico mas.

Yng Nghysgod y Frenni Fawr

Na roddwch i mi na gorseddau na bri,
  Ond tawelwch breuddwydiol y rhos;
Lle clywaf y nant, ymhob trobwll a phant,
  Wrthi'n sisial hwiangerdd y nos.

  Cytgan:
  Draw, draw wrth y bryn,
    Yn nhawelwch breuddwydiol y rhos—
  Lle clywaf y nant ymhob trobwll a phant,
    Wrthi'n hwian a hwian fin nos.

Myn rhai gael eu nef yn neuaddau y dref,
  Lle mae cyfoeth a miri di-daw;
Ond rhowch imi'r grug, a'i ysblander di-ffug,
  Fyth yn gwenu trwy heulwen a glaw.

Er tloted fy myd, mi goeliaf o hyd,
  Fod y nefoedd yn cyffwrdd â'r llawr;
A bod engyl yn llu, yn cyd-ddawnsio o'm tu,
  Ar lechweddau yr hen Frenni Fawr.

A mwmian yn bêr, o dan lewyrch y sêr,
  Bydd y gïach yn oriau yr hwyr;
Ac yna mi wn, er trymed fy mhwn,
  Fod y nefoedd yn nes, dyn a ŵyr.

Yng nghanol yr hedd, o torrwch fy medd,
  Pan ddelo fy ngyrfa i ben;
Heb na rhagrith na ffug, na blodau ond grug,
  Dim ond dagrau o'r Nef ar fy mhen.

Lemonêd

Beth wyt ti yn ei yfed, bachan, dwed—'Lemonêd,'
Beth wyt ti yn ei yfed, bachan, dwed—'Lemonêd,'
Beth wyt ti yn ei yfed,
Wel bachan, bachan, dywed,
Beth wyt ti yn ei yfed—'Lemonêd.'

Cytgan:
Lemonêd, lemonêd,
Dyma'r ddiod felysaf erioed,
Diod ddisglair wen,
Nad yw'n codi lan i'r pen,
O cenwch gân o glod i'r lemonêd.

Treia ddrop o wisci, dere mla'n—'Lemonêd,'
Treia ddrop o wisci, dere mla'n—'Lemonêd,'
Treia ddrop o wisci,
Wel bachan, bachan, risc hi,
Treia ddrop o wisci— 'Lemonêd.'

Beth am shandi-gaff 'te, bachan dwed—'Lemonêd,'
Beth am shandi-gaff 'te, bachan dwed—'Lemonêd,'
Dere i gael shandi,
Mae'n wannach, beth, na brandi,
Dere i gael shandi—'Lemonêd.'

Beth oedd yn dy briodas, bachan dwed—'Lemonêd,'
Beth oedd yn dy briodas, bachan dwed—'Lemonêd,'
Beth oedd yn dy briodas,
Ai wisci brwd a sodas?
Beth oedd yn dy briodas—'Lemonêd.'

Beth gest ti yn 'ffair, w, dwed i mi—'Lemonêd,'
Beth gest ti yn 'ffair, w, dwed i mi—'Lemonêd,'
Beth gest ti yn 'ffair, w,
Ai fflagon swllt a thair, w?
Beth gest ti yn 'ffair, w—'Lemonêd.'

Y Lemonedwr yn canu:

Pan fo'r gwddw'n sych caf lemonêd—lemonêd,
Pan fo'r gwddw'n sych caf lemonêd—lemonêd,
  Pan fo'r gwddw'n sy-ych,
  Yfaf lawr fel y-ych,
Pan fo'r gwddw'n sych caf lemonêd.

O rwyf yn hoffi potel lemonêd—lemonêd,
O rwyf yn hoffi potel lemonêd—lemonêd,
  Pant bach yn ei gwddw,
  A chlamp o farblen smwdd, w,
O rwyf yn hoffi potel lemonêd.

O rwyf yn hoffi sŵn y lemonêd—lemonêd,
O rwyf yn hoffi sŵn y lemonêd—lemonêd,
  Clywed sŵn y bwblan,
  Fel sâm ar ganol ffrympan,
O rwyf yn hoffi sŵn y lemonêd.

Pan ar lan y môr caf lemonêd—lemonêd,
Pan ar lan y môr caf lemonêd—lemonêd,
  Cael y botel bop, w,
  Ac yfed dros y top, w,
Pan ar lan y môr caf—lemonêd.

Eithaf peth i'r trwyn yw lemonêd—lemonêd,
Eithaf peth i'r trwyn yw lemonêd—lemonêd,
  Yfed bant a thrwsian,
  Nes dychryn Pws y Prwsian,
Eithaf peth i'r trwyn yw lemonêd.

Llythyr Caru

Telais arian, lot o arian, do, am ffownten pen,
Er mwyn danfon llythyr bach i'r fwynaf dan y nen;
Llythyr Saesneg oedd, wrth gwrs, er mwyn dangos steil,
Y mae llythyr mewn iaith fain fel pe'n fwy worth wheil.

Cytgan:
Mei priti, priti, Jên Ann,
Ei hôp iw bi darlin in ddy pinc,
Eim tecin wp mei ffownten pen in mei reit hand
Ffor mi now not slîp e winc.
Mi reit a gwd mî can,
Hôp ddis ffeind iw 'A.1.'
Trwstin iw not lwc at eni iwng man,
Mei priti, priti, Jên Ann.

Bûm yn pyslo ac yn pyslo, do, am lawer awr,
Methu ffeindio geiriau pert i roi fy serch i lawr,
Troi'r hen ddicshonari mawr nes 'mod i yn syn,
Gorfod bod yn fodlon mwy ar eiriau bach fel hyn.

Ceisiais ddwedyd am y moch, y da, a'r ddau bow-bow,
'Penwen Fach has come a calf, and small pigs with the sow.'
Teimlais eto nad oedd steil sôn am fuwch a llo,
'Nôl i ddechrau'r llythyr bach am y degfed tro.

Roedd y gannwyll erbyn hyn yn dirwyn lawr i'r pen,
Minnau yno'n hollol dwp yn dal i grafu 'mhen;
Ceisiais ddarllen llyfr da, llyfr llawn o '*love*',
Yno cefais frawddeg bert—'*Oh, my pretty dove*.'

Bu’r hen lythyr yn fy mhoced am ddiwrnodau maith,
Awn ag ef i’r caeau gwair a phobman ar fy nhaith;
Aeth yn felyn ac yn ddu, cyn ei roi yn y post,
Tebyg oedd, myn hyfryd i, i glwt o fara rhost.

Sut oedd gorffen hyn o lith at f’anwyl Jên Ann lon?
‘*Yours in anticipation, love from* Samuel John.’
Er mwyn llenwi’r pêj mewn steil â rhywbeth heb y print,
Dyma fi’n rhoi XXX—rhai ar lun rhod wynt.

Anti Henrietta o Chicago

Mae gennyf anti sydd yn byw yr ochor draw i'r dŵr,
  Anti Henrietta o Chicago;
A phan ddaw atom i roi tro, rwy'n ofni'i gweld, bid siŵr,
  Anti Henrietta o Chicago.

  Cytgan:
  Hen fenyw ffein ydyw hon, cofiwch chi,
  Hen fenyw garedig a llawn o hwyl a sbort a sbri,
  Ond pan ddaw atom i roi tro, rwy'n treio cadw draw,
  Anti Henrietta o Chicago.

Dyw Henrietta byth yn dweud 'Shwt ych chi' neu 'Hylô',
Ond dyry glamp o gusan i'r holl deulu yn eu tro.

Fe fyddai'n well pe bai yn dweud 'So long nawr' neu 'Gwd-bei',
A choeliwch fi neu beidio, ond mi af yn eithaf shei.

Pan roddo gusan rwyf yn cau fy llygaid yn hold ffast,
Ac wedi iddi orffen rwyf yn esgus galw'r ast.

Mae arni drwch o lipstic fel pob merch sy'n torri dash;
Bydd smotiau coch o dan fy nhrwyn yn gymysg â'm mwstásh.

Peth cas yw derbyn cusan pan foch chi yng nghanol crowd,
Ond dyna arfer Anti, ac fe'i gwna yn eithaf prowd.

Ni waeth pa beth a wisgaf i, ai rhacs ai cordirói,
Fe ddyry Anti gusan mawr gan ddwedyd '*Lovely boy*'.

Ac er ei bod yn rhoddi imi *cigarettes galore*,
Rwy'n diolch am Atlantic mawr, a phellter maith y môr.

Pan af â hi i ddal y trên, i'r stesion yn y trap,
O flaen y *guard* a'r swancs i gyd, mae'n rhoddi cusan, slap!

Fe fyddai'n fendith pe bai hi yn gallu ffeindio gŵr,
A rhoi ei maldod sofft i gyd i hwnnw, hwnt i'r dŵr.

Cofio

Aeth hanner can llawn o flynyddoedd
Er dechrau ein taith ’slawer dydd
Bu crwydro o neuadd i neuadd
A’r ysbryd yn ifanc a rhydd.

Cytgan:
Cofio, cofio
Am wleddoedd o gleber a chân;
Cofio, cofio
Am hwyl tan yr oriau mân.

Yn neuadd y Boncath bu’r dechrau
A’r parti yn gryndod i gyd
Cyn crwydro yn griw llawn o hyder
I lefydd ym mhob rhan o’r byd.

Mae llawer o’r bechgyn anwylaf
Yn fud erbyn hyn dan y gro
Ond erys eu cwmni hyd heddiw
Yn rhyfedd o fyw yn y co.

Y stori a’r gân fyth ni pheidia
Daw eco ar adain y gwynt
Difyrrwch a gaed am flynyddoedd
Yn gof am yr hen amser gynt.